Gallimard Jeunesse / Giboulées sous la direction de Colline Faure-Poirée

ISBN : 978-2-07-058781-0
Premier dépôt légal : novembre 1995
Dépôt légal : juin 2008
Numéro d'édition : 158859
Loi n°49956 du 16 juillet 1949
sur les publications destinées à la jeunesse
Imprimé et relié en France par Qualibris/Kapp

Ursule la libellule

Antoon Krings

GALLIMARD JEUNESSE / GIBOULÉES

Ursule la libellule habitait seule une petite maison humide au milieu de l'étang. Elle n'aimait pas que l'on vienne la déranger et pour cette raison n'invitait jamais personne, ce qui n'empêchait pas, chaque année, au retour des beaux jours, la visite de ses voisins du jardin.

Mireille l'abeille venait butiner les boutons d'or, Léon le bourdon en profitait pour se rafraîchir un peu les ailes. Quant à Barnabé le scarabée, il peignait les nymphéas. Et pendant qu'ils étaient là, Ursule allait de l'un à l'autre pour leur dire de ne pas toucher aux fleurs, de ne pas entrer chez elle les pattes mouillées et de ne patati et de ne patata… jusqu'à ce que tout le monde rentre enfin chez soi.

Mais un jour, quelqu'un arriva à
grands bonds près de la maison
d'Ursule :
Monsieur Renato Rainette.

Seulement Monsieur Renato ne faisait pas que des bonds. Il savait même très bien chanter. C'est d'ailleurs ce qu'il fit en coassant bruyamment toutes les nuits parce qu'il était amoureux et qu'il voulait le faire savoir. La première à le savoir fut Ursule. Elle ne pouvait plus dormir. « Il me coasse les oreilles, celui-là. Qu'il aille faire son boucan ailleurs », s'écria-t-elle.

Koak! Koak! Koak! C'est tout ce que la grenouille trouva à dire quand Ursule lui demanda de faire moins de bruit.
Et comme Renato était deux fois plus gros que la libellule et qu'il lui arrivait parfois d'avaler quelques insectes, Ursule n'insista pas de peur d'être mangée à son tour.

Finalement, à force de faire des koak, Renato trouva ce qu'il cherchait : une fiancée. Vous imaginez bien que la libellule refusa l'invitation des grenouilles qui se mariaient au fond de l'étang.

Ils se marièrent donc et ils eurent beaucoup de têtards.
Puis les jours passèrent tranquillement et au grand bonheur d'Ursule, on n'entendit plus chanter Renato, trop occupé à nourrir ses enfants.

Et ce bonheur dura un certain temps. En fait, le temps que les têtards grandissent. Alors un matin, une petite grenouille, puis deux, puis trois et pour finir un tas de petites grenouilles sortirent la tête de l'eau et firent toutes sortes de bonds autour de la maison d'Ursule.

« Allez, ouste ! Disparaissez, les têtards », s'écria-t-elle furieuse. Notre demoiselle essaya de les chasser en les menaçant de son balai. Ce qui n'effraya pas les grenouillettes.

Ursule se réfugia chez elle, ferma
les volets et la porte à clé.
À son grand malheur, les jours
suivants furent comme les précédents,
terriblement bruyants. Il lui fallut
attendre que les petites grenouilles
grandissent.

Quand elles furent devenues grandes, on entendit aux quatre coins de l'étang un concert de koak! Il y eut beaucoup de mariages et de nouveau, un nombre incalculable de têtards sortirent de l'eau. La pauvre Ursule connaissait déjà la chanson. Avant de partir, elle vendit sa maison aux rainettes qui s'y installèrent tant bien que mal avec leurs nombreux enfants et leurs très nombreux petits-enfants.

Pour finir, Demoiselle Ursule trouva une autre mare où poussaient des nénuphars. Mais vivre seule ne l'enchantait plus vraiment. Je pense même qu'elle regrettait les turbulents têtards. C'est pour ça que le jour où elle vit arriver une petite grenouille verte, elle fit des koak koak de joie, et lui souhaita la bienvenue!